먼작귀

먼가 작고 귀여운 녀석

4

PRESENTED BY
나가노

차 례

물끄럼…
야야…
움빠빠
…

캐릭터

어-?
파자
파티
가르마
노동갑옷씨
라멘갑옷씨
야하
토끼
해달

'파자마 파티스'

파자마 파리스

흐…
흥…
스윽…
…나… 둘…
셋… 넷…
우·와·와
우와
우
우·와와… 우와… 루루루… 라―… 루…
중얼…
중얼
으~…음
으~음…
사각 사각 사각…
우
우·와·와
우와
우와와
타~크 타~크
챠오
꺄아
꺄아
파자마 파리스
뭉게 뭉게~
끝

결성

쵸――― 용……
파자마 파티스
와――아
시무룩…
시무룩…
……
……
……
샤오
타ㄱ크
타ㄱ크
우와와
우
우·와·와
우와!!!
와 우
와 와 우 우
우·와·와·
우와
라…
……
우·와·와
우와……
뭐지?
샤오
타ㄱ크
타ㄱ크
우와와
끝

노래

음~?
우
우·와·와
우와
왠지
귀에
남네….
엇?
우
우·와·와
우와…
중얼…
뭐더라…?
그
노래….
다음이
더 있어.
그룹이
노래하는 걸
봤어.
오옷~,
좋은데!!
그룹.
우
우·와·와
우와
우와와
타~크
타~크
샤
오
우
우·와
와
우
와
마음에
들었구나.
끝
우
우·와·와
우와…
어라
아아!!

유행하고 있다

도리 도리
초ー옹……
?! ?
우와와 타~크 타~크 챠오~ 챠오~
?!!
착 착
우 우·와·와· 우왔
?!!
우 우·와·와 우왔~…
와……?!
우 우·와·와 우와
타ー크 타ー크…
챠오
우 우·와·와
우와~
?!
?!!
끝

기쁜걸

우 와우 우
와와 와
스읍-…
파자마 파티스
여기야, 여기…!!
와우 우 와와
웅성 웅성
와~
우와와
타~ 타~ 크 크
챠오~
이 노래는….
어…
?!!
웅성
웅성
저번에 노래했던 '그룹'이다.
우 우 우와 와와
파자마 파티스
찌~잉…
와…
우 우·와·와 우와!!
!!
끝

어라라

큰 이벤트인
'꿀맛
페스티벌'에서
노래하지
않을래?
끄덕
끄덕
꿀맛 페스티벌
스케줄
빼곡
우
우·와·
와
와—
아자
아자
와—
탁
…나, 둘…
셋… 넷….
…나, 둘,
셋, 넷….
우와
악
끝

계속할 거야

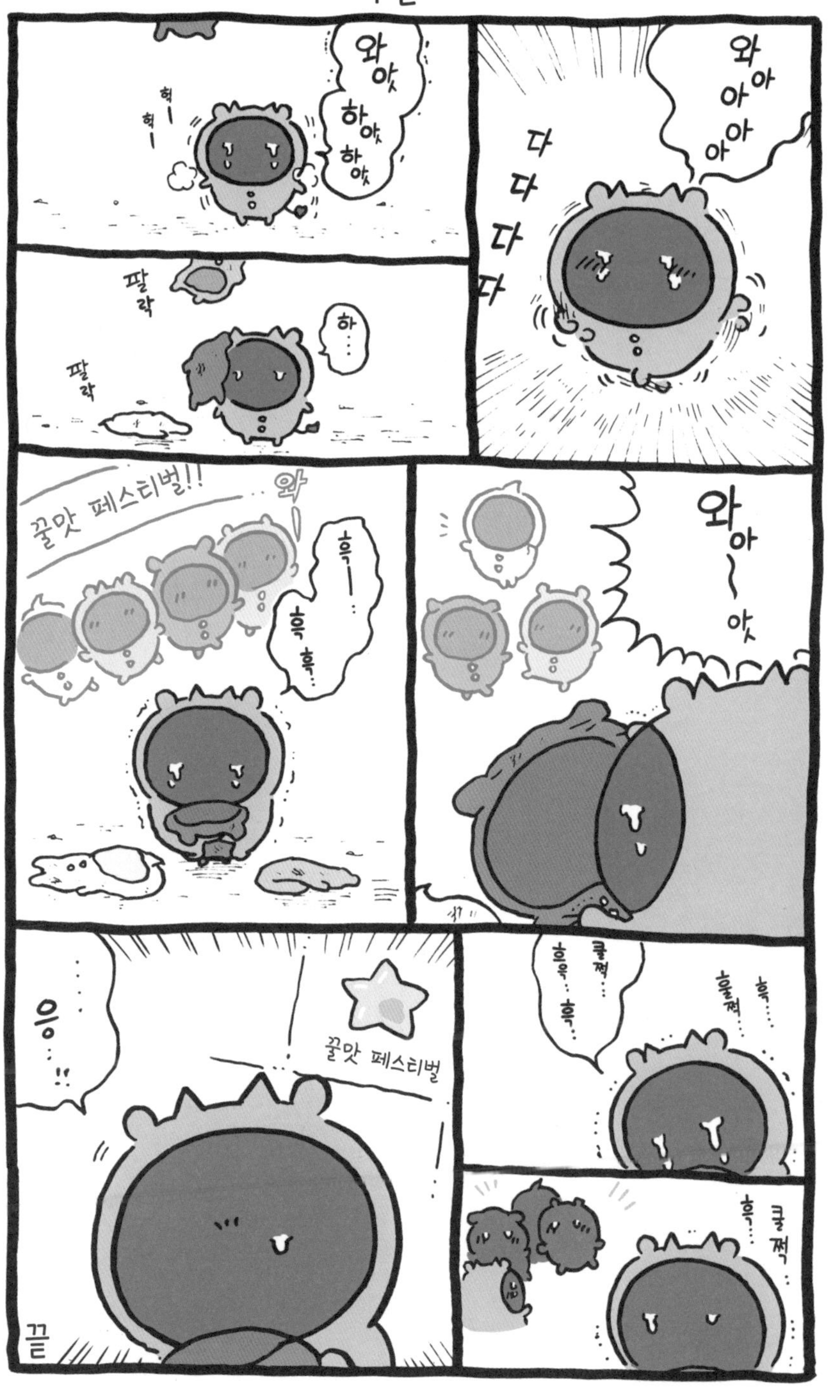

와앗 하앗 하앗
헉— 헉—
와아아아아아아
다다다다다
팔락
팔락
하…
꿀맛 페스티벌!!
와—!
흑——…
흑 흑…
와아~~앗
응…!!
꿀맛 페스티벌
끝
쿨쩍… 흐윽… 흑…
흑… 훌쩍…
흑… 쿨쩍…

앗!!

우
우·와·와
우와!!
우와와 타~크
타~크…
웅성 웅성…
웅성 웅성…
채소 축제
챠… 오…
웅성
웅성…
??
?
터덜…
터덜…
우
우·와·와·
우와
우와와 타~크
타~크
챠오~
……!!
착 착
……
……
챠오~…
끝

대타 멤버

파자마 파티스 놀이….
같이 할래?
우 우·와·와· 우와
하아?!
어~?
무슨 일이야?!
'파자마 파티스'의…?!
우…
우·와·와
쿵 쿵
와ㅅ?!!
'파자마 파티스'에 들어와 달라는 거야?!!
다른 멤버들이 돌아올 때까지 …
와…, 그런 일이…
응 응…
그 말은… 곧…
어…
끝

하자 !!

우우·라·라 우라 ♫
?!!!
탁
어떡하지 …?
좀 다르지만… 대단하네….
뿌루얏…
야~하
우라라 야~하
하자!! 파자마 파티스!!
응!!
모두가 돌아올 때까지…
지키고 싶은 거지…?
끄덕…
하아?
끄덕…
……
끝

연습이다

와아~!!
척
스~읏~
스~읏~
왼쪽~.
오른쪽~.
흔들 흔들
후!!
잘한다, 잘한다.
도무지 외워지질 않아.
파자마 파티스의 춤
스-읏-
스-읏-
휘리릭 짠
응…응…!!
와아 와아!!!
되니까 기분 좋네~.
끝

이벤트

어ㅡ이
도리 도리…
돌아 왔어…?
그렇구나.
시무룩…
시무룩…
토벌 때도 찾아봤는데….
도리 도리…
내일 '이벤트' 있지?
끄덕…
응…. 알았어!!
내일 나갈게… '이벤트'!!
연습도 했으니까 괜찮아!!
타ㅡ크
타ㅡ크
짝 짝 짝
끝

긴장

슬쩍…
웅성…
웅성…
웅성
웅성
시끌
시끌
감자 축제
버터
감자
끄응…
엄청 많이 기다리고 있어~….
그치?!
끄덕
오늘은… '대타 멤버'로서 열심히 할게!!
어라?
왜 그래?
…실전에 약한 거야…?
끄덕…
두근두근 두근
끝

우리 차례다

우
우·와·와·
우와!!
와아……
우리
차례다….
가자!
꽈다ー앙
타크
타크
아, 아직이야,
아직.
챠오…
어이쿠
…
실수
했어…
와ー아…
와……
짝
짝
짝
조ー…용
야하
끝

각자의

꿀맛 페스티벌

……
……
사각
사각
사각
사각……
우와아
타~크
타~크
챠오
툭
우
우·와·와·
우와!!
우
와……
와……
스륵……
꿀맛 페스티벌
웅성
웅성
시끌
시끌
우와와
타~크
타~크
챠오……
와!
우왓!!!

꽉 ...
친구들이랑… 나가고 싶었던 이벤트지…?
끄덕…
꿀맛 페스티벌 날…
드디어 왔구나…
너무 활짝 열면 다 보여.
…?
뿌루…
아자 아자!!
응…
여, 열심히… 할게.
우라
웅성
웅성
어?
야하
뭐지?
뭔데 뭔데?
힐끔

저건…!!!
……엇…
하나 둘~.
구하러… 가야 해…
다 함께 불러 볼까요.
?
여러분 오래 기다리셨습니다.
쫓기고 있는 건가…?!
파자마 파티스의 등장입니다.
아…
기다리고 있어!! 꼭 돌아올게!!!
?!!!
지켜줘!! '무대'를!!
?!!
와- 와-
파자마 파티스~!!
다닥

왓….
이건….
우라
덥석
납치
당했는데
…
저
큰 녀석한테…
따
따
따
분명!!
도망쳐나온
거야.
따
따
따
'구하기'
위해서…!!
그래….
싸워야지
….
무기
대신?!!
……
……
???
어라…?
멤버가
적은데.
쭈뼛….
슬렁
팟
도리
도리…

도망쳐~.
얘들아~.
♪우우 와·와♪
우와♪
빨리 무대로!!
여긴 우리한테 맡기고!!
!!!
'페스티벌'은 이미 시작됐어!!
?!!
?!
왔다, 왔어.
와앗
쿤… 도벌이야…
중얼…
다닷

쭈우욱…
와 와 와
앗 앗 앗
척 착 탁
뭐야
뭐야?!
덥석
야!!
앗…
이 '빗자루'
…
이쪽
보다
여기
'모서리'
쪽이
위력이
강해!!!
찢어져,
찢어지겠어!!
우와아아아아~ 앗
탁
탁
퍼억
제발
어떻게든
되어라~!

하앗.
쿵
빙글 빙글 빙글
휘—익
야
캬악
제발 어떻게든 되어라~!!
퍼—억
아직 이야~.
팟
와우…
온다.
성공~!!
와아아 아아
뭐랄까… 큰 도벌.
앗
잘못 맞았다고 해야 할지…
제대로 맞았다고 해야 할지…

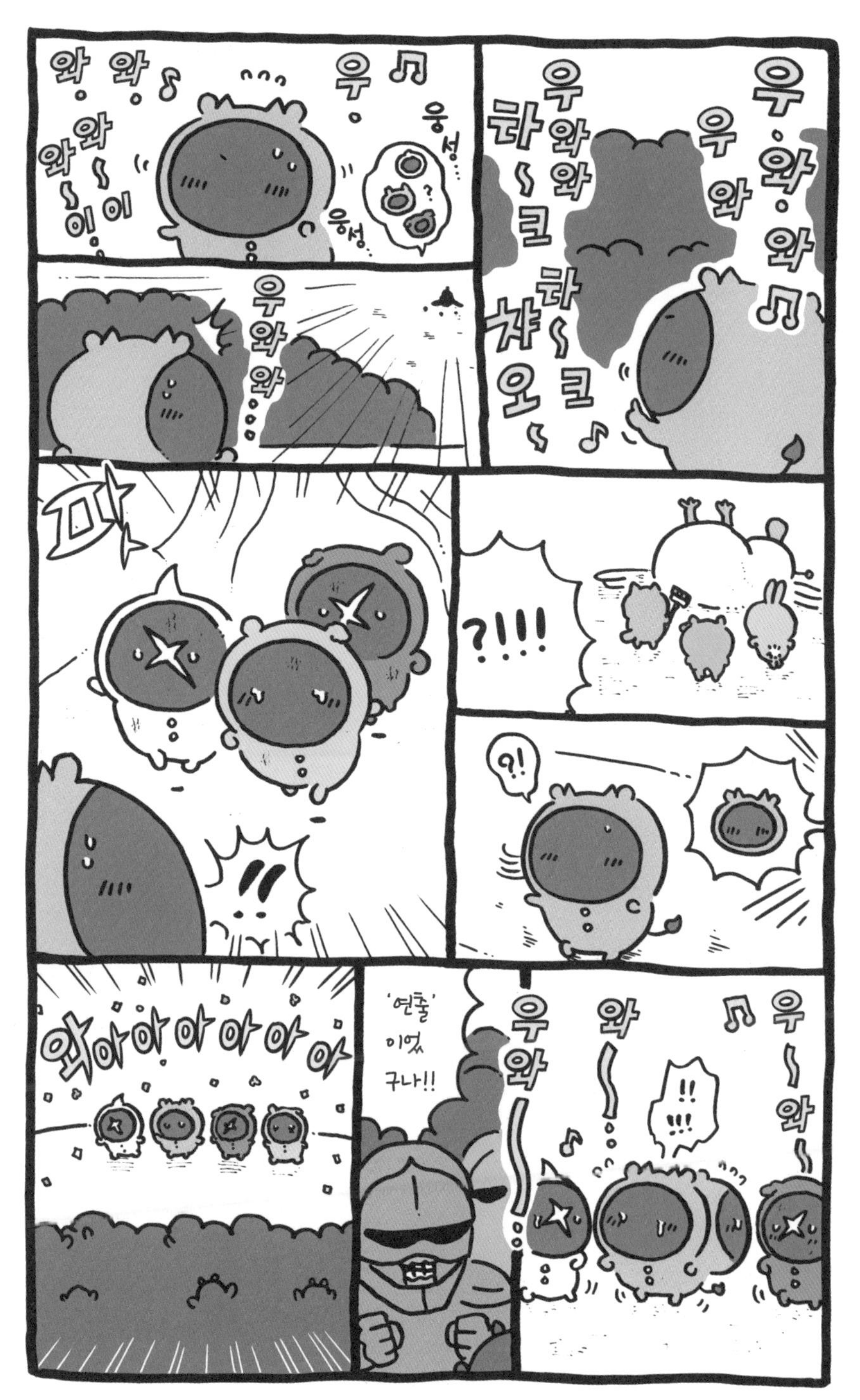

와 와♪
와와~이이
우♫
웅성…
웅성…
우 와 와 와♫
우와와 와
우와와와
와 라~ 쿠 라~ 쿠
챠 오~♪
?!!!
?!
와아아!아아아아아
'연출' 이었구나!!
우~와~
와~
우와~
!!
!!!

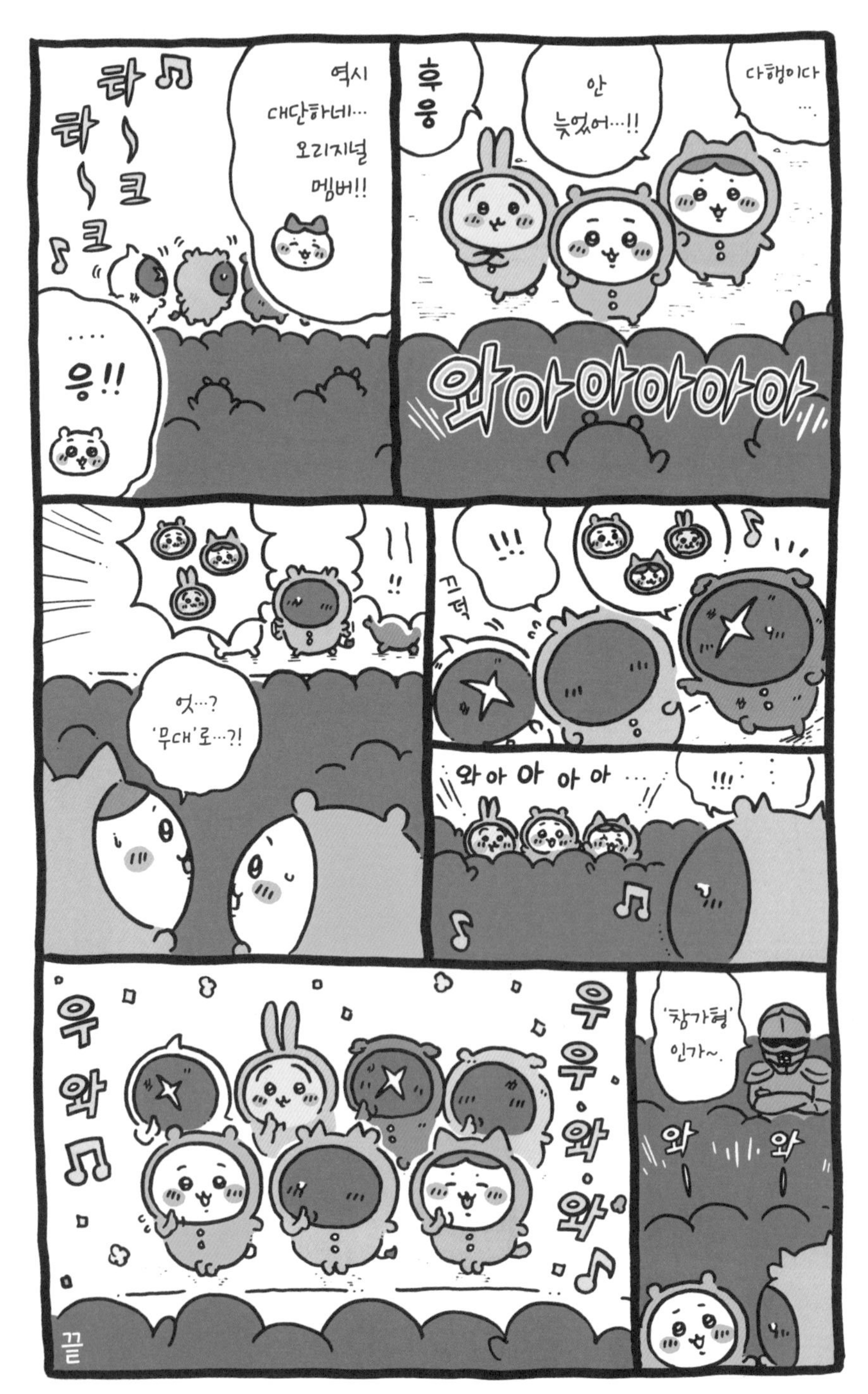

타~ㅋ 타~ㅋ
역시 대단하네… 오리지널 멤버!!
…. 응!!
후웅
안 늦었어…!!
다행이다 …
와아아아아아아
!!
엇…? '무대'로…?!
!!!
끄덕
와아 아 아 아 …
!!!
우와
우우 와 와
'참가형' 인가~.
와 와
끝

'일상'

뭐 생각하고 있어 ?

싸아아…
찌ㅡ…
르르 르르…
찌르ㅡ…
찌르ㅡ…
……
아~
후훗
우 우와와 우와
키득 키득…
뭐 생각하고 있어? 지금~,
머릿속에서 노래가… 흐르고 있었구나…
응…
키득 키득
어ㅡ?
키득 키득
아무 생각도 안 하고 있었어…
꺄~ 하하…
뭐 생각하고 있냐고?
…엇
……
……
끝

델라웨어 포도

와ー……
그건 '델라웨어 포도'?!
쯔옥
엇
입속에… 어느 정도 모았다가 먹는구나.
쯔옥
먹어도 돼…?
와……
뇸 뇸 뇸
쯔옥
쯔옥…
쯔옥
와……
쪼그매…
킥킥 킥킥
츄릅!!
냠냠…
끝
쪼그만 애가 섞여있어….
다른 것보다…
이거 봐!!
얘들아.

비엔나커피

딸랑 딸랑
웅성 웅성
펄럭
마스터… 뭔가…
피로가 확 풀리는 걸로…
후룹…
의외로… 아직… 씀…
쿡…
비엔나커피
호로록…
슥…
SUGAR
찌익…
사라라락
끝

'비 피하기'

'쫄발'
이다~!!
피크닉~…
비를
피해야…
…응?
히에ㅣ엑
응
톡
쫄발~?
쏴
폭우다.
앗
!!
점심밥인
부드러…운
우동
뭐지~?
여긴…
'집'인가
…?

우와!!
에헤헷
앉으세요~.
미안해. 집인 줄도 모르고…
쏴아아아아
뭔가 '좋은' 걸? '비', '실내', '도시락'.
여기서… 점심 좀… 먹어도…
그러세요.
허후
쭈루룹…
주섬주섬
얏~. 고마워.
시원한 물…
아 참
좋네.

샌드위치

쏴아아아아
멋진데? 꽃과 리본.
소중한…
추억이 담긴
리본이에요.
중얼…
보고 있으면… 기뻐져요.
웅얼웅얼
여러 가지… 사정이 있나 보구나.
날이 갰다.
톡…
톡…
기념으로…
사진 한 장 찍게 해 주세요.
샌드위치 기념.
찰칵
끝

‘칭찬받은 리본’

칭찬받았다

칭찬받았어…
그 쿠키 리본!!
에ㅡ엣?!
그래서,
그래서…
응…
응!!
탁
탁
꺄ㅡ
하하…
웅성
웅성
파닥
파닥
파닥
파닥
대단
하다…
첨벙
첨벙
키득
키득
왠지
기뻐.
착
후웅
있잖아…
칭찬받았어…
쿠키 리본.
쿠키…
먹고
싶어졌구나
…
바삭
끝

물고기

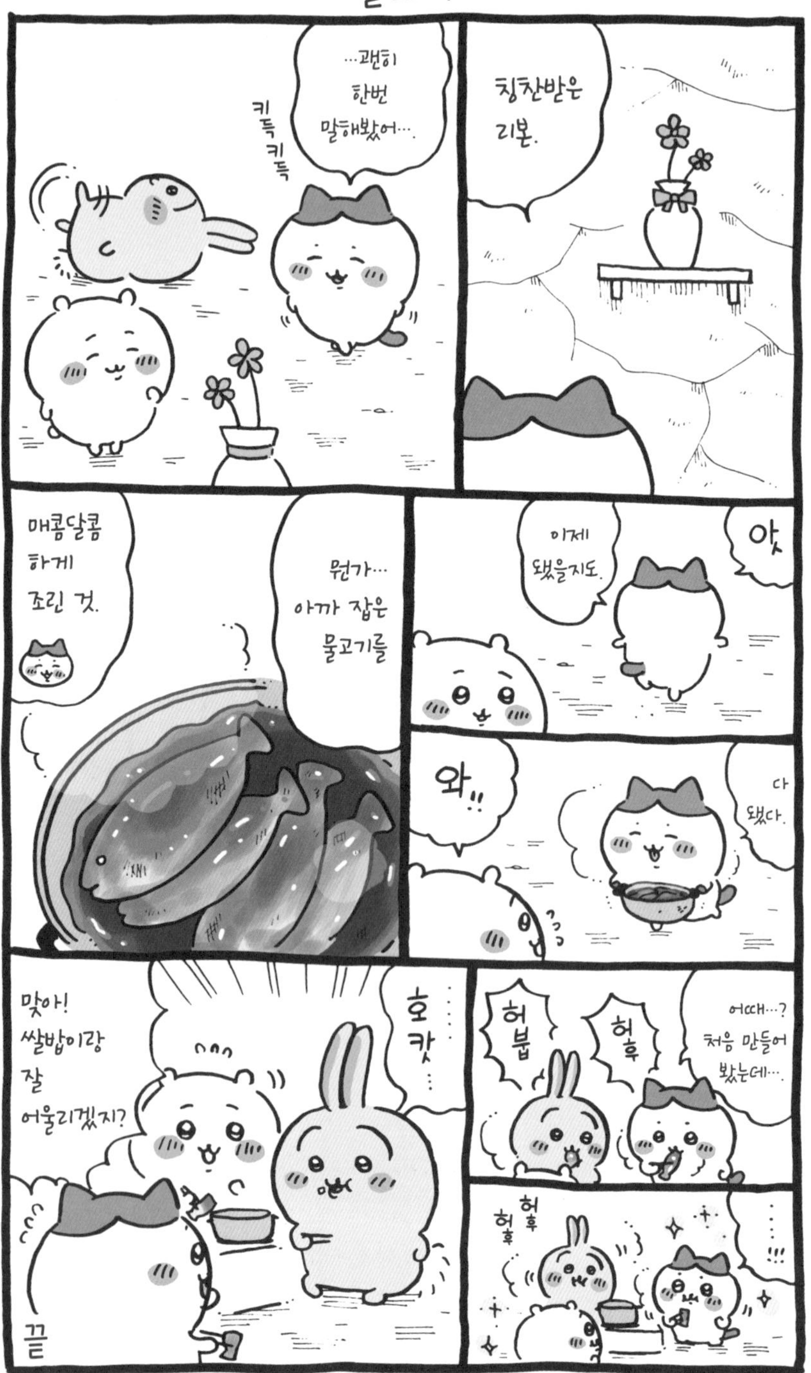

…괜히
한번
말해봤어…
키득
키득
칭찬받은
리본.
매콤달콤
하게
조린 것.
뭔가…
아까 잡은
물고기를
이제
됐을지도.
앗
다
됐다.
와!!
맞아!
쌀밥이랑
잘
어울리겠지?
호캇…
끝
어때…?
처음 만들어
봤는데…
허붑
허후
허후
허후
…!!!

칭찬받은 리본

아침 새소리가 들리네.
삐ー 주루…
짹 짹…
삐~ 삐루루…
짹짹… 짹…
씻어~ 야지…
꽃병을~…
흥 흥흥
저벅저벅
칭찬받은~ 리본…
음~음 음……
슥…
덥석
삐루…
삐-삐루루…
짹짹…

여기에
뒀는데.
어라?
떨어졌나?
우왕
우왕
꽈왕
.....
어라?
......
이
근처에
...
칭찬
받은~...
이라고
하면서...
중얼
중얼...
음~~......
슥...
긁적....
긁적...

아침 시장
웅성
와삭 와삭
웅성
없어~….
시무룩…
아, 거긴 안 찾아 봤다….
중얼 중얼…
응…?
앗
…?
앗!!
아!!
여기서…
골라준 거구나…!!
끄덕
에~헤헷
……

시끌 시끌
웅성 웅성
…………
냠
저기 말이야…
…읏.
……아
있지.
네가 준… 리본…
없어졌어…
…!!!
…흑 없어 …
잃어 버…

도리 도리
……
미안…
해…
우~……
……
추억은… 계속… 남아있으니까…
그렇… 지…
응……
에~헤헷…
응…
음……
응 응…
이거 왠지…
팥 부분이 뜨겁다, 그치?
끝
하…
움…
냠

소중한 리본

하아……
터덜
터덜
엇
응?
……아
앗….
찾았다….
파아
와—아
이것 봐, 이것 봐!! 방금
찾았어!! 리본.
어!!
와아~아!!
다행이다~!!
휴—

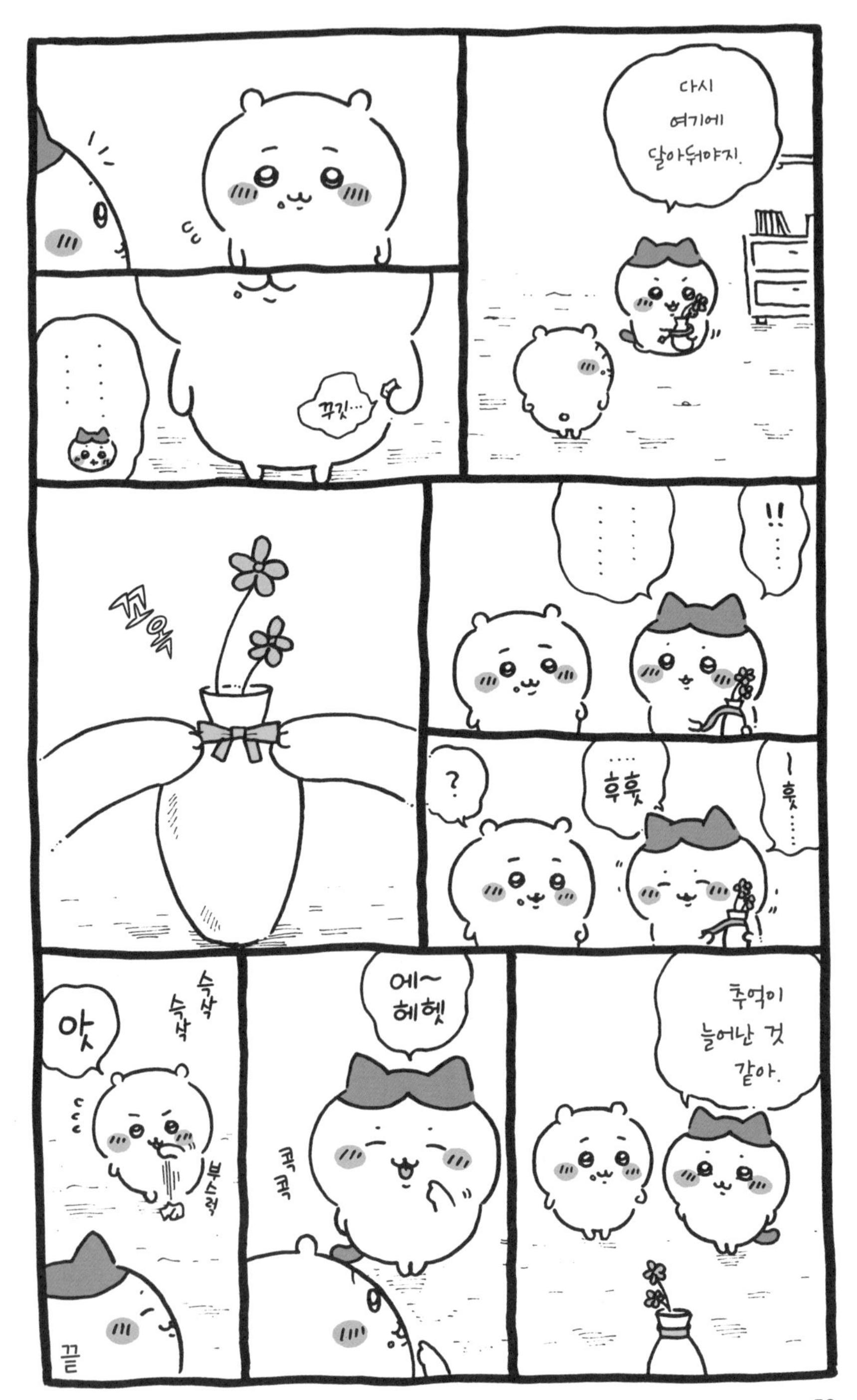
……
꾸깃…
다시
여기에
달아둬야지.
쪼옥
……
!!……
?
……후훗
~훗……
앗
슥삭
슥삭
부스럭
끝
에~
헤헷
콕
콕
추억이
늘어난 것
같아.

샤샥

'시사와'

※사타판빈

※오키나와 흑설탕 도넛

※산핀차

※오키나와 재스민차

조수구나

마무리 스테이크

…꿀꺽
찹 찹 찹

‘치이카와의 꿈’

무서웠다

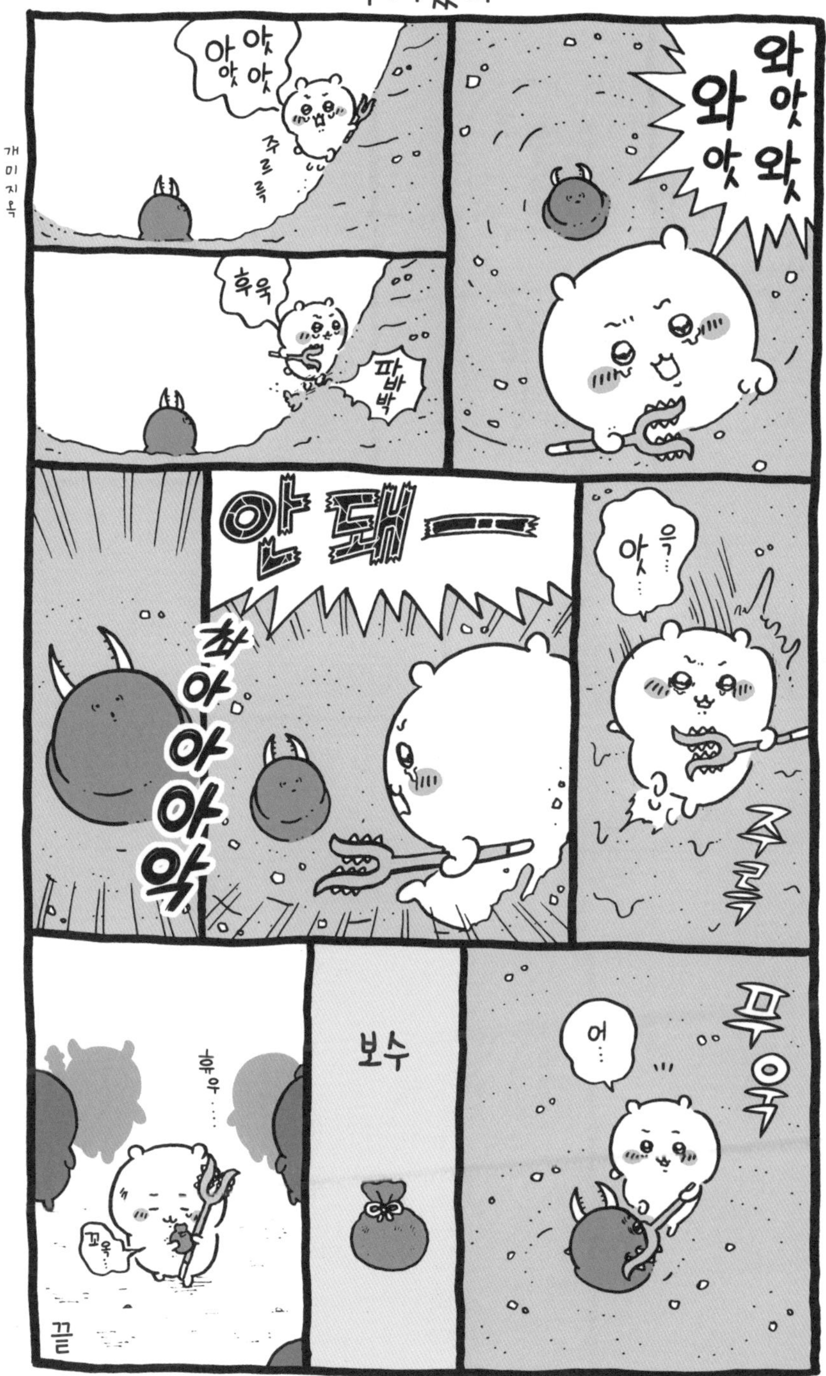

되면 좋겠다

어…어
으음…
제초 검정 5급
중얼 중얼 중얼
……휴우……
탁
발라당
……하아……
우 우·와·와 우와 ……
제초 검정 5급
와~아
와~아
쪼옥……
어엇~?!
키득 키득 키득
끝

목각인형

야하
목각인형 이다.
이거…
이게 뭐야?
이것도 재활용센터에서 발견한 거구나.
뿌룻 뿌랏
괜찮을 것 같아.
이건… 왠지…
어…
……
……
어… 어…
만져 볼래?
푸슉
휙
파앗
푸슉
끝

이건 꿈?

왠지… 갑자기 잠들었어.
우~…웅
야하
하늘이 높다.
어~? 뭐야뭐야?!
잘 어울려.
날개가 있고, 날고 있는데?!
와와…
어라?!
와앗
이건 꿈?
??
…대단하다…
파다닥
파닥
와, 난다.
와~…
파다닥
파닥
끝

작아졌다

이거 혹시
몸이 작아진
건가?!
루라라루라…
라랄랄…
와아~아
앗
무서운 게
잔뜩 있어.
빙글 빙글 빙글
쌔앵
엇?!
어라?
찰싹
꿈이니까…
이건.
그래도
뭐…
파다닥
어엇!!
위험
하잖아!!
항앗?

쭈욱
어라라
우앗…
아파!!
꿈이라도 무섭네~
쿵쿵
아야야야야야
콰직
도망쳐.
세다!!
우라
퍽억
와앗 와앗
이거… 꿈이 아닐지도…

으~…음…
어떡하지…
이거 혹시
'현실'?
와앗!
까악 까악
찾았다.
그 목각인형을
부수면
원래대로
돌아올지도…
앗
악기인가
~?
카캉
캉
파캉
뭐지,
이건…

안녕.
오, 안녕.
가져가 버렸어!!
쫓아가자.
후응
그럼, 연습을 시작해볼까.
그래~.
아~, 이거.
그게 뭐야?
악기인가~?
카캉 카캉
이건…
!!
뮤직 스타~트.
딸깍
장내 환경을 정돈 하라

앗!! 찾았다.
……?
저기!
우라
유산균!!
유산균!!
'꿀맛맨'의…?
와앗
와!!
짝
짜짜
부수자!
쌔애앵
대단해, 대단해.
비틀…
우라……
아!!
가까이 못 가겠어.
가…
파앙

영차……
……영차……
이거… 높은 데서
떨어트려 보는 게… 어떨까?
부술 수 있을지도.
후응
……
와아~
왜 그래?
야
응…
끄덕
……응!!
하나 둘.
제발 어떻게든 되어라~!!

신경 쓰자
배속상태로
슈웅
쏙
소용 없네.
퐁
퐁
퐁
유산균!!
콰직
세이프…
…
어?
저기 위에.
이, 이봐.
휴웅

다음은
이걸 쓰고 춤춰볼까~?
우옷
우선…
뮤직 스톱!!
알았어.
얘들아~.
…?
돌아 왔다!!
이건 '현실'?!
우우~웅…
음냐…
현실 인데…
역시 꿈이었나?
으~…음
그, 그건 '꿈'이야!!
후웅…
끝
뭔가 다들… 춤추고 있었고…
꿀맛맨의 '머리'도 본 것 같아….

뭐,
뭐야.
후우ㅡ웅…
뭉긔러미

'그 아이'

와아아아아
야――압
찰싹
우와아~앙!!
이얍-
파곰
욱찌
으아악
타박타박
우와~앙!!
와아앙

냠
냠
냠
벌떡
후훗…
후후후
…
데굴
끝
훗
우
와아
앙!!

‘더욱 일상’

사부님

노랫소리

흐흐흥 후~…
따라리라…
야야~앙 빠빠…
중얼…
루~ 라라~
루루라 루루라
얌빠빰 라라라
!!!
웅얼 웅얼…
더 들려다오.
라 루라 루라… 빠…
노랫소리군….
좋은…
들려다오.
자신감을 가져.
웅얼 웅얼…
끝
야야~… 앙 빠….
중얼…
루…… 라…
중얼 중얼

※1이모무시빵

※1 고구마(이모)를 찐(무시) 빵
※2 이모무시(애벌레) 빵

'피자'

뭘까

하앗 !!

도우다

에…
에엣———?!!
없을까?! 살라미!!!
어떡 하지?
그 '도우'… 마음대로 써라…
훗……
후웃… 후우우…
보들… 보들…
이이이 이이 야핫하 아아
촤악
가루가 얇게 뿌려져 있어서…
보들보들 해…
키득 키득…
왜지… 기분 좋다…
후!!
보들… 보들…
끝

피자

보들… 보들…
……
응!!
토핑 가져 오자!!
타박 타박 타박
다다다다
슥 슥…
팍 팍
쭈욱
화르르륵…
뭔가 엄…청 뜨거운 바위…
GAS
얏!!
하——얏…
놈 놈 놈…
꿀꺽
허후
끝

코크 하이볼

시무룩...

‘시사의 하루하루’

소라빵

왠지 기쁜 시사

※아와모리 커피

※아와모리 : 오키나와 소주

좋겠다

‘밤에 생긴 일’

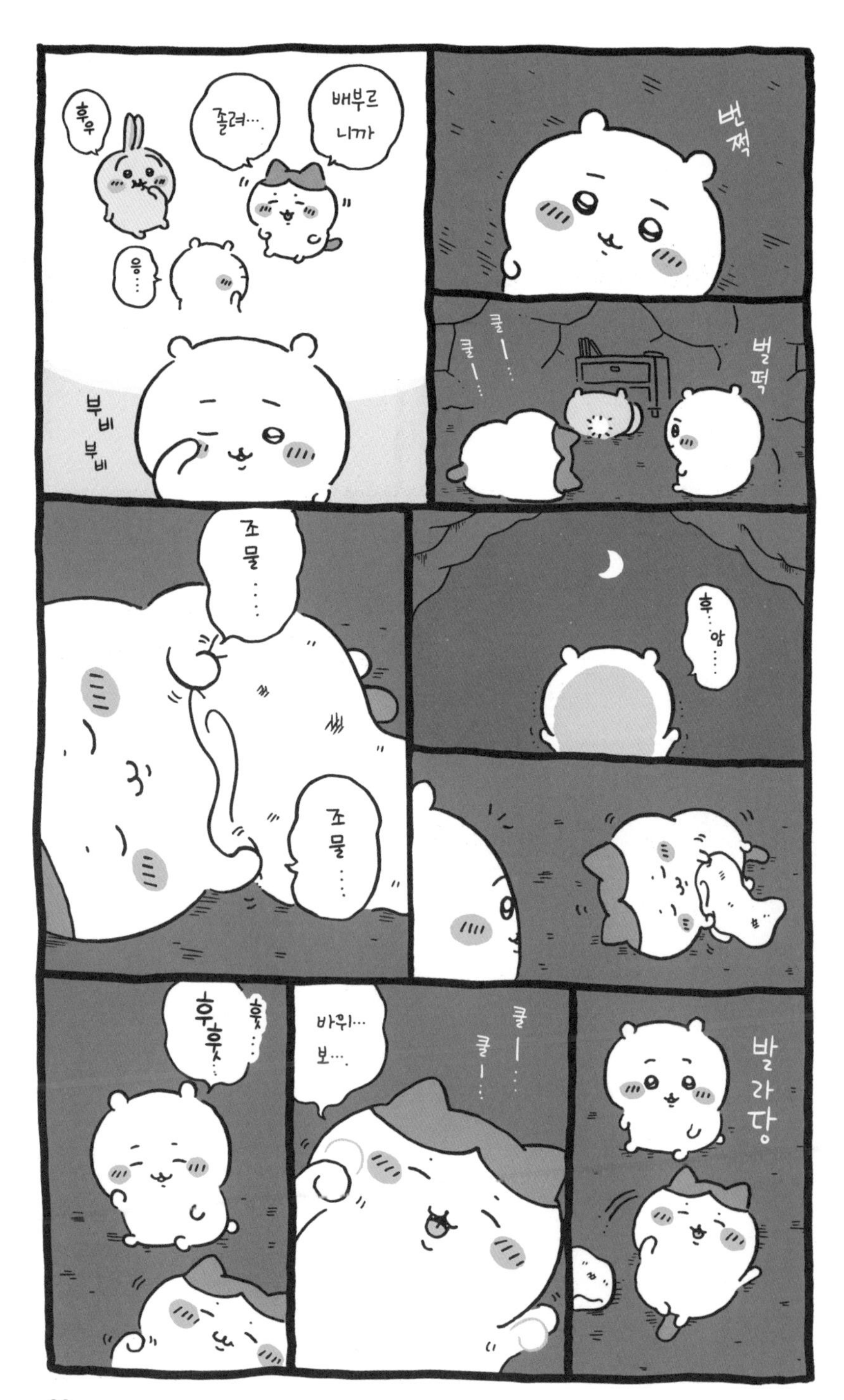

배부르니까
졸려…
후우
응…
부비부비
번쩍
쿨ㅡ…
쿨ㅡ…
벌떡
후…암……
조물……
조물……
후훗…
훗…
바위…
보….
쿨ㅡ…
쿨ㅡ…
발라당

흥
흐응 흥…♬
부―엉
부―엉…
찌륵―…
찌륵―…
우와와 우와…♬
앗!!
흠칫
빙글
쿨―…
쿨―…
영차…
살금…
살금…
살금…
……

탁
어?
살금 살금…
히익…
움찔
스윽
~~웁!!…
웅…
쿠울——…
음냐 음냐…
푸욱 푸욱 푸욱
우웁
어라?
우와…아…
키이잇
……
바둥 바둥

웁….
쫑긋
우―…응
우ー웁
우….
슥…
엇…?
우앗, 우앗,
뭐야?!!
쿠울―
벌떡
야―
!!!
!!!
흔들 흔들
일어나,
일어나.
빨리.
팡
벌떡

후웅
거기 서~!!
파사삭
덥석
끌려 간다!!
앗 앗
우무웁…
확
우랏
뭔가 딱딱한 '열매'
앞으로 쭉쭉 가고 있어!!
파사삭
도저히 따라잡을 수가 없어~~.
덥석
확
화나서 이쪽으로 왔다!!
탁
한 개 맞았다.

전멸 하겠어~.
콰앙
켁
와
덥석
꽈악…
부스럭…
잡아 먹으려고?!
스르륵
딱 딱
싫어—
…… ?!
슈리릭
엇

제발 어떻게든 …
!!
화악
제발 어떻게든 …
꾸욱…
샤
빠직
되어라 ~!!
쭈욱
우지직
아가각
쭈욱
도망 친다!!
캬아아악
키이잉이이
아… 이빨이 부러졌네.

와앗!!!
털썩
파사삭
딱딱하지 않아서 살았어…
밑이 어지럽지…
뿌루샤
이 리본이… 구해줬어.
봐봐.
어?!
괜찮아?! 괜찮아?!
휴우…
우웅…
흐윽……
울어 버렸네…
혼자서 쫓아낸 거야?!
에―…
에헤헤……
어―엇…?!
앗…
키득 키득
리본… 2개로 늘어났다….

이쪽으로 가면 아마
돌아갈 수 있을 거야…
후웅
돌아 갈까?!
우라·라
……
고마워…
……응……
혼자서…
쫓아내 주려고 한 거야…?
!!……
얏
빛나는 버섯이다!!
와ㅣ…
뿌랴
이건… 어디에 묶을까?
에ㅣ헤헷
아!! 에헤헤…
끝

'잘 돌아왔어, 리본'

어디에 장식하지.
두 개나 달아둘
공간은 없고~.
금방 풀려버릴 것 같은데….
흘끔…
어~?
으~음
왜지…
떨어트릴 것 같아.
그래.
두 개를 연결해서…
됐다.
…왜 그런 곳에
있었을까…?
뭐, 상관없지.
후훗
끝

‘더욱더 일상’

포대기

아니~.
싸봐.
싸봐.
싸라고.
지금은 손을 뗄 수 없어~.
폭신…
아~…. 방해한다.
복슬복슬
살포~시.
어떻게 싸주면 돼?
항ㅡ…
이만 돌아갈게….
흔들어.
끝

비엔나소시지

꼬옥
후훗
거대 문어
비엔나소시지
기름
덥석
와아아
아앗
찌익
우물
우물
문질
문질 문질
철퍽
저벅저벅
케첩과
머스타드
후웅
저벅 저벅
끝

예술품

이건 '예술품'?
좋은 사진이 나올 것 같아…
중얼…
찰칵
우앗, 뭐야 뭐야?!
숨어 있었어?!
와~아
냠 냠
이거… 비엔나 소시지구나.
야!!
털썩 털썩
'예술품' 인가~?
빼꼼
우옷!!
끝

새로 난 머리

안녕~.

응~?

……?

어~?

? ?

아!!

Normal

↓

?!!

뭐야 뭐야?

다닷

머리 ~?

와 와

에~헤헤……

앗…. 이거?

가끔… 머리가 새로 나면 이렇게 돼.

어?!

어~? 이것도 잘 어울린다고?!

후후……

끝

바닐라 아이스크림

※아라잔 : 은색 식용구슬

‘밤만쥬와’

붓는 방법, 대단하다

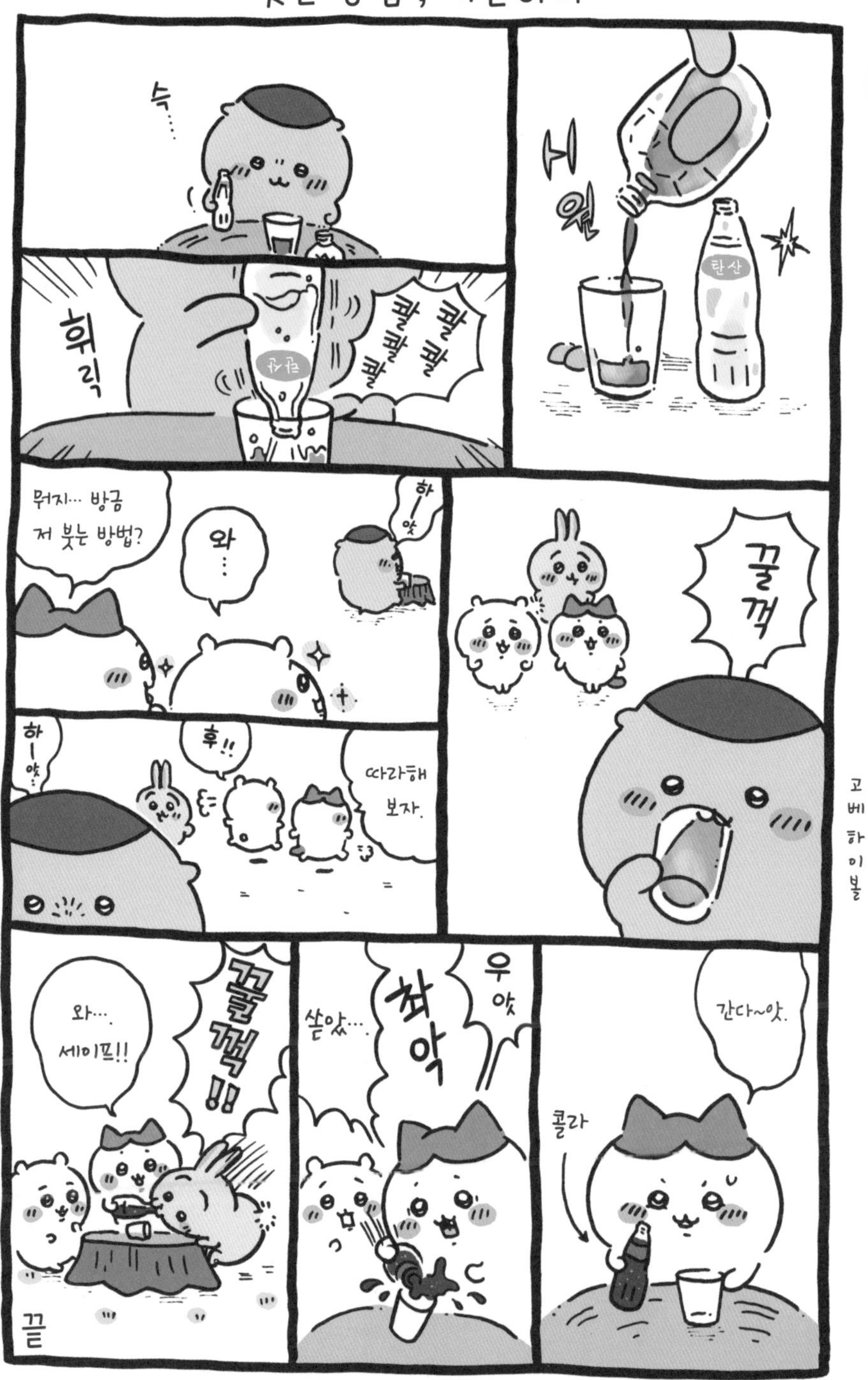

슥…
휘릭
콸콸 콸콸 콸
탄산
뭐지… 방금 저 붓는 방법?
와…
하—앗
꿀꺽
하—앗…
후!!
따라해 보자.
고베하이볼
와…. 세이프!!
꿀꺽!!
쏟았…
촤악
우앗
간다~앗.
콜라
끝

숙취

※홋피

※일본의 맥아 발효 음료.

술 자격증

음…
여기서
먹고 갈까?!
맛있는 집
응응!!
웅성웅성
엄청 붐비네.
어?!
'합석'!!
고맙습니다.
꾸벅
놈놈
후!!
메뉴
술 자격증이 없으니까
귤 탄산 주스 먹어야지.
꿀꺽 꿀꺽 꿀꺽
저어,
술 자격증… 따기 힘드셨나요?!
꿀꺽…
후—우…
힘들었나 봐….
끝

자격증의 추억

춘권이랑 밥 먹으니까 맛있었지~?
후!!
빙글
꾸벅
술 자격증… 따기 힘드셨나요?!
꿀꺽…
챱챱챱
꿀꺽
합격
하—앗
마무리 라멘
후룹……
하—아…
끝

'피크닉'

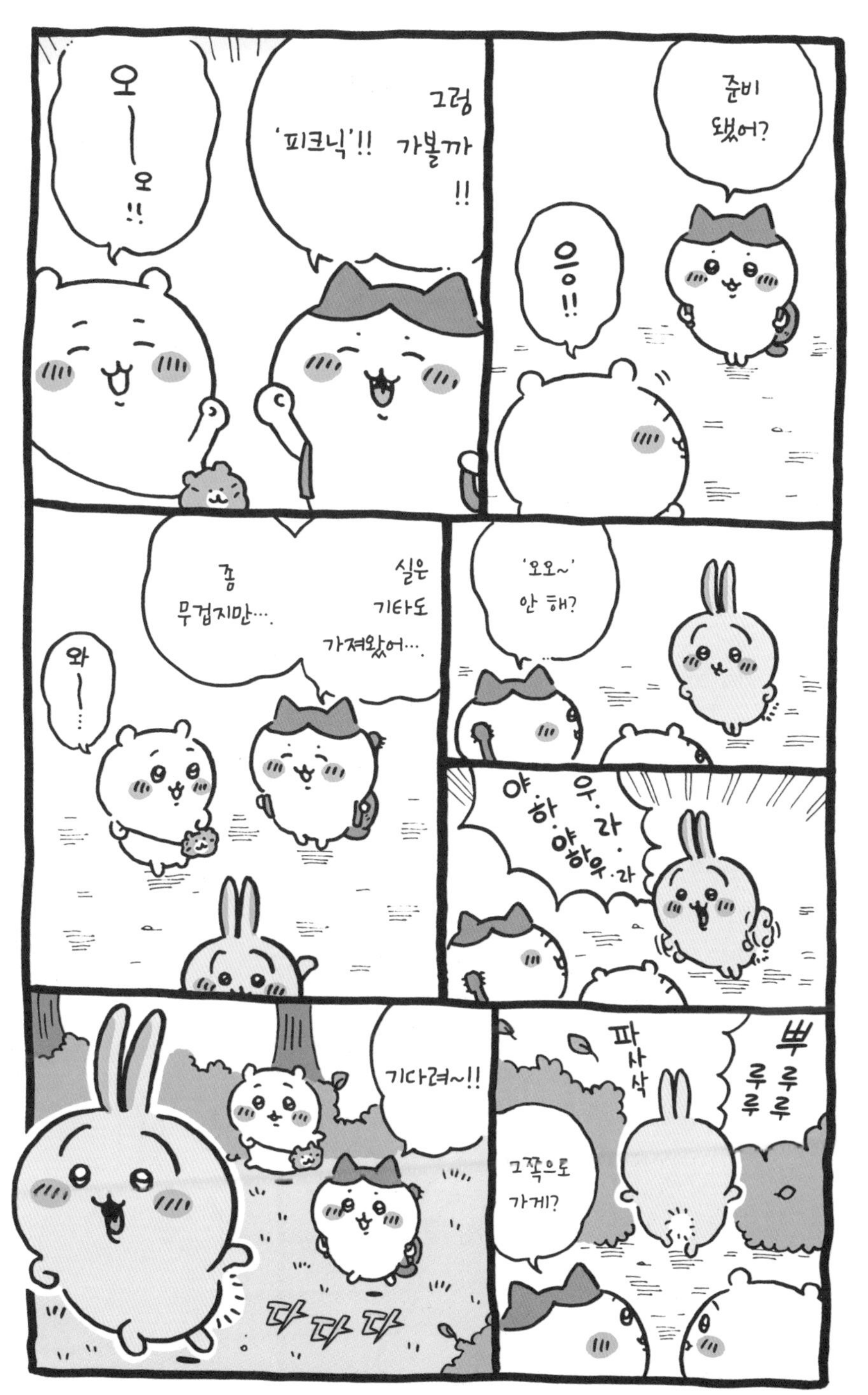
그럼 가볼까 '피크닉'!!
오~~오!!
준비 됐어?
응!!
실은 기타도 가져왔어… 좀 무겁지만….
와~~…
'오오~' 안 해?
야·하·우·라·야하우·라
기다려~!!
다다다
파사삭
뿌루루루루
그쪽으로 가게?

와아~.
여긴…
피크닉
하기
좋을지도….
부스럭
부스럭
어디까지
가려고~?
성큼
성큼
뒤적
뒤적
뒤적
뭐 해?
데려와준
거야?
아껴뒀던
장소에….
하아?
버섯이다.
푸욱
우앗!!!
동실
동실
꺄
하
하…
뭐야, 그게.
처음 봐….
와~!

아아~….
왠~지
차갑구나.
아아~….
얼음처럼
시원~한
캔이
아아~….
신발을
적시네.
아아~~….
땀과 물방울이~
뒤섞여
잘 부른 거
같아….
끝.
와—
탁
탁
덜…
말라…
서….
눅눅…
하다….
그럼…
슬슬
꼬르르륵
그루터기도
있고….
여기
참 좋은
곳이네~.
응응
꼬르르륵
오~
밥
먹자~!!

너희들
몫도
싸왔어….
키득
키득
아!!
소금
주먹밥
꾸욱
주섬
주섬…
와아!!
똑같이
주먹밥을 사왔네!!
까아
하하하…
후후!!
꼬깃…
즐겁다…
피크닉.
냠……
꿀꺽
캬아아아아
휙
앗, 앗,
어떡하지?
무기가 없는데.
와앗
와앗
키치

저리 가~~!!!
와!!
대단하다….
헉헉헉
빠악
으아아아아아아아아!!!
너클 더스터.
가져오길 잘했네.
그게~ 숲속으로 들어가는 게 보여서.
고맙습니다.
꾸벅…
액세서리 야…!!
네~?
아니….
그거…
'무기' 였구나….
끝

'가르마의 하루'

아침이다

저벅 저벅
달그락 달그락
착 착
저벅 저벅
후아암 ~…
아자자
허후 냠…
에구…
우물 우물
아침밥.
흰 쌀밥과 간 무에 얹은 멸치
합격 축하해~.
와-아
같이 공부하자!!!
다음은 4급
팔랑
제초 검정 5급
에헤헷 좀만 더 기다리자!!
끝
4급 책…
이제 슬슬…
사둘까…

점심이다

촤악…
퐁당… 퐁당…
보글 보글…
청소하다 보니
점심때가 됐네.
흑
이야-앗
수제비…
대파와 계란을 넣은
후릅…
*이치미를 좀 뿌릴까.
키치
야-압!!
헉…후우-…
최단 기록일지도…
쫓아낸 거.
헉 헉…
에잇 에잇 야아- 야아- 와-와-와-
키-잇
끝

※일본 고춧가루

쉬어야지

쿨ㅡ…
쿨ㅡ…
헉
벌떡
깜빡 잠들었어….
점심 먹고 나서
가려고 했는데…. 제초….
아직 안 늦었나…?
와ㅡ아
놀러 온 거야?
와 와…!!
앗
빼꼼
어…?
커다란 계란말이 먹으러 가자고?
끄덕 끄덕
아…. 근데 오늘은…
제초….
에이, 오늘은…
쉬어야지.
꺄ㅡ하하…
끝

‘아!’

야키소바….
밖에서 먹으니까.
맛있다….
꿀떡
후룹…
와우우 우와 와
냠…
후룹
놈 놈 놈
와앗 !!!
대단하다!! 화면에 나오고 있어!!
앗!!
우와와 라~라~와 크~크
응…!!
내 일처럼 기쁘네….
어쩐지…
슥
다들….
우우와와 우와
타~크 타~크
챠오~!
작은 소리로 따라 부르고 있어.
끝

버섯을
먹고 있는 건
대체…?

덩치
크고
마음씨
착한
'오데'!

버섯을
먹었다가
고블린의
분노를 사서
감옥에
수용되고
만다!

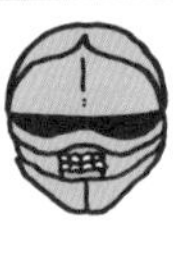

많이 기대해주세요!

강하고 착하고, 커다란 친구. 언젠가 다시 만날 수 있겠지?

하지만 포기하지 않으면 다 같이 탈출…할 수 있을 거야!

'감옥 고블린' 편 완전 수록!

먼작귀 5

먼가 작고 귀여운 녀석

먼작귀 먼가 작고 귀여운 녀석 4

2023년 8월 31일 초판 발행　2024년 1월 23일 2쇄 발행

저　자_ 나가노

번　역_ 김혜정 **발행인**_ 황민호 **콘텐츠1사업본부장**_ 이봉석
책임편집_ 윤찬영/장숙희/전송이/조동빈/옥지원/이채연/김정택

발행처_ 대원씨아이(주) **주소**_ 서울특별시 용산구 한강대로 15길 9-12
전화_ 2071-2000 **FAX**_ 797-1023 **등록번호**_ 1992년 5월 11일 등록 제 1992-000026호

ISBN 979-11-7062-879-8 07830　979-11-6894-441-1 세트

- 문의_ 영업 2071-2075 / 편집 2071-2026